LECTURAS SIMPLIFICADAS
LIBROS DE ACTIVIDADES

Hemos creado esta colección con el objetivo de ayudar al estudiante en su aprendizaje del español, con la intención de potenciar su estudio de la lengua, y con el propósito de acercarlo a los grandes autores. Esto es posible gracias a la sencillez del vocabulario y de la estructura de estos libros.
En ellos encontrará una serie de notas que le facilitarán la comprensión del texto, y le servirán para ampliar su lenguaje. Además, a cada página de lectura le corresponde una página de ejercicios, directamente relacionados con la parte leída. De este modo, el alumno podrá poner en práctica los conocimientos que ya poseía y los que ha adquirido.
"Hablando se entiende la gente", dice el dicho. Leyendo se aprende más fácil y rápidamente. En vuestras manos ponemos este instrumento, con la esperanza de que motive al estudiante y complemente la labor del profesor.

adaptación, ejercicios y notas
Marta Arciniega

asesoramiento lingüístico
Susana Mendo

EL LAZARILLO DE TORMES

Anonimo

La **picaresca**, la literatura que ha escrito sobre los más listos, los más perspicaces y agudos; los que más ingenio, imaginación y fantasía tienen; los que más trucos, tretas, artimañas y ardides inventan, ve en **El Lazarillo de Tormes** su personaje más representativo. El protagonista nos conduce a través de un mundo de aventuras y desventuras, que lo empuja a convertirse en un pícaro, a ser cada vez más rápido, y a saber siempre más que nadie para poder sobrevivir.

La Spiga languages

EL LAZARILLO DE TORMES

Me llamo Lázaro de Tormes

Me llamo Lázaro, Lázaro de Tormes. Mi sobrenombre lo debo a mi nacimiento. Mi padre trabajaba en un molino de harina situado en el cauce[1] del río de dicho nombre, y allí se encontraba mi madre cuando llegó mi momento. Así que prácticamente se puede decir que nací en medio del río.

Y en ese pueblecito de Salamanca vivimos, hasta que acusaron a mi padre de robar harina de los sacos que le llevaban. Huyó perseguido por la justicia, y murió en alguna guerra contra los moros.

Mi madre decidió entonces marcharse a vivir a la ciudad para evitar las habladurías[2]. Encontró trabajo cocinando para algunos estudiantes, y lavando la ropa de los mozos[3] de las cuadras[4] del comendador. Y con uno de ellos, con un negro, se casó.

La verdad es que a mí al principio me daba un poco de miedo aquel señor. Pero cuando me di cuenta[5] de que, estando él con nosotros, comíamos mejor y teníamos más leña, empecé a cogerle cariño[6].

Pasado algún tiempo me dieron un hermanito, negro como mi padrastro[7]. A veces mientras jugábamos juntos, miraba a su padre, y al ver que el color de su piel era distinto del de la nuestra, se asustaba y decía: “mamá,

1. **Rellena con tus datos este hipotético pasaporte.**

Nombre ....

Apellidos ....

Fecha de nacimiento ....

Lugar de nacimiento .... sexo ....

Domicilio ....

Fecha de expedición ....

Fecha de caducidad ....

Firma del titular ....

2. **Rellena con el tiempo correcto de los verbos "ser" o "estar".**

- Mi madre .... en el molino cuando yo nací.
- Tormes .... el nombre de un río.
- El pueblo donde nosotros vivíamos .... en Salamanca.
- Mi padre .... acusado de robar harina.
- El segundo marido de mi madre .... mozo de cuadras.

3. ***Coger* y *Tomar* a veces son intercambiables, pero otras no. Haz una lista de cosas que se utilizan con cada uno de ellos, o con los dos indistintamente.**

COGER	AMBOS	TOMAR
....	....	....
....	....	....
....	....	....

---

1. **cauce:** *terreno por donde corren las aguas de un río.*
2. **habladurías:** *murmuraciones, cotilleos, calumnias.*
3. **mozo:** *sirviente, criado.*
4. **cuadra:** *lugar donde se guardan los caballos.*
5. **darse cuenta:** *notar, percibir.*
6. **coger cariño:** *encariñarse, apasionarse, aficionarse.*
7. **padrastro:** *marido de la madre, que no es padre de sus hijos.*

el coco[1]". Ya ven ustedes cómo es la vida. Como dice el refrán, "ningún jorobado se ve su joroba[2]".

Pero las desgracias no habían acabado para nosotros. Un día el mayordomo del comendador empezó a notar que faltaban algunas cosas de la cuadra. Cuando se aseguró de que el culpable era mi padrastro, lo denunció a la justicia. Así mi madre quedó viuda de nuevo y sin trabajo con que mantenernos, pues le prohibieron volver a poner un pie en casa del comendador.

No sé si considerarlo una suerte o una desgracia, el caso es que nuestro siguiente paso, fue decisivo para mí. Mi madre fue a servir a casa de una familia dueña de un mesón. Allí terminamos de criarnos mi hermanito y yo. El aprendió a andar, y yo daba una mano yendo a buscar vino, candelas, o haciendo lo que me mandaban.

Un día pasó por allí un ciego que vio (es un decir) que yo ya era muy mañoso[3] y apañadito[4]. Habló con mi madre. Le dijo que si me dejaba ir con él, me enseñaría a hacer de guía. Ella aceptó y con ello marcó mi destino. Estuvimos varios días en Salamanca, pero lo que ganaba en aquel lugar no le parecía suficiente y decidió abandonar la ciudad.

Mi madre y yo nos despedimos entre lágrimas. Me dijo que sabía que no volvería a verme, que a partir de entonces tendría que cuidar de mí mismo, y me encomendó[5] a mi nuevo amo[6].

Mi primer amo: el ciego

El ciego y yo nos pusimos en camino y al llegar a un puente que tenía una estatua de piedra, que parecía un toro, me dijo:

4. Escribe cómo saludarías y te despedirías en las siguientes situaciones.

- Con tus compañeros de colegio, en un día normal de clase:
  saludo ....
  despedida ....
- Vas a la farmacia por la mañana a comprar unas medicinas:
  saludo ....
  despedida ....
- Te reúnes con tus primos en Nochebuena:
  saludo ....
  despedida ....
- Te acercas a un guardia a pedirle una información:
  saludo ....
  despedida ....

5. *"Ningún jorobado se ve su joroba"* es un dicho. Con él damos a entender que es mucho más fácil ver los defectos ajenos que los propios. Explica con tus palabras qué significan los siguientes refranes.

A caballo regalado, no le mires el diente.

Más vale pájaro en mano que ciento volando.

Perro ladrador, poco mordedor.

Nunca digas de esta agua no beberé.

Del dicho al hecho hay un gran trecho.

Más vale solo que mal acompañado.

---

1. **el coco:** fantasma imaginario. Se utiliza para asustar o amenazar a los niños.
2. **ningún jorobado se ve su joroba:** dicho, frase proverbial.
3. **mañoso:** hábil, diestro.
4. **apañado:** desenvuelto, hábil, mañoso.
5. **encomendar** (irregular)**:** entregar, dar, confiar algo a alguien.
6. **amo:** señor, dueño, propietario.

—Si acercas la cabeza a ese toro, oirás un gran ruido.

Yo me acerqué lleno de curiosidad. Cuando tenía la oreja bien pegada al animal, me arreó[1] tal manotazo, que el dolor de cabeza me duró varios días.

—¡Espabila[2], muchacho! ¡El mozo de un ciego debe ser más listo que el diablo! —dijo, y empezó a reír a grandes carcajadas[3].

En aquel momento desperté de mi inocencia. Recordé las palabras de mi madre y dije para mí que, estando solo como estaba, tenía que abrir bien los ojos y estar alerta.

En los días que siguieron me dio muestras de su gran habilidad. No he conocido en mi vida persona más lista ni más astuta. En su oficio era un maestro. Sabía rezar en voz baja, con tono grave, que resonaba en toda la iglesia. No hacía gestos o muecas exagerados, como suelen hacer otros ciegos que mendigan. Le encargaban oraciones de todo tipo. Y él para todas las ocasiones se sabía una de memoria, que rezaba con gran devoción y humildad.

Quien a él se acercaba quejándose de un dolor, no se iba sin un remedio. Las mujeres eran las que más creían en él, y a las que más dinero sacaba. Ganaba en un mes lo que cualquier otro ciego tardaba un año en ganar.

Pero igual que, como ya he dicho, en lo que hacía era un artista, en lo demás[4] debo reconocer que no he visto hombre más mezquino, ruin[5], avaro, y cuantos adjetivos se les ocurran[6].

A pesar de los pesares, a mí no me daba ni la mitad de lo necesario para sobrevivir. Y les aseguro que no son exageraciones mías. En más de una ocasión estuve a punto de morir de hambre.

De la muerte me salvaba mi astucia y mi ingenio pues, aun siendo él más listo que el hambre, yo casi siempre conseguía lo mejor para mí.

6. **Une con una flecha las dos columnas, de modo que resulte una frase comparativa.**

• No le engaña nadie, es más listo	• como los indios.
• No le convencerás, es más terco	• que la una.
• El pobre está más solo	• que una niña con zapatos nuevos?
• Es tan tímido que por nada se pone colorado	• que una tapia.
• En la fiesta me aburrí	• que el hambre.
• Esta película es más larga	• como una cuba.
• Si no hablas más alto no te oye, está más sordo	• como una ostra.
• Volvió a las tres de la madrugada borracho	• como un tomate.
• En aquel viaje nos lo pasamos	• que un día sin pan.
• ¿Qué le pasa a Luis que está más contento	• que una mula.

7. **Inventa frases hipotéticas con los verbos que te damos.**

• (*tú, acercar*) (*tú, oír*)

....

• (*tú, tener*) (*tú, poder*)

....

• (*vosotros, venir*) (*ellos, no caber*)

....

---

1. **arrear:** *dar con fuerza.*
2. **espabilar:** *despertar, valerse.*
3. **carcajadas:** *risotadas, risa fuerte.*
4. **lo demás:** *las otras cosas.*
5. **ruin:** *vil, infame, mezquino.*
6. **se les ocurran:** *les vengan a la mente.*

Trucos para sobrevivir

Contaré algunas de mis artimañas[1], aunque no de todas ellas salí bien parado[2].

El ciego llevaba el pan y la comida en un saco, que cerraba con una argolla de hierro y un candado. Cuando lo abría, lo hacía con tanta cautela, que nadie habría podido quitarle ni una miga de pan. Pero cuando se distraía, pensando que yo estaba haciendo otras cosas, me acercaba sigilosamente, descosía uno de los lados del saco, sacaba buenos trozos de pan y embutido[3], y después volvía a coser en silencio lo que antes había descosido.

De este modo lograba compensar lo que él me negaba, y podía ir viviendo.

Otra de las cosas que hacía para mi sustento, era robarle algunas monedas. Todas las veces que podía sisaba[4] algo de calderilla[5], que luego llevaba siempre conmigo en un bolsillo. Cuando alguien le encargaba una oración, en el momento en que alargaba la mano para darle la moneda de plata, yo, que tenía la calderilla ya preparada, la cogía al vuelo y daba el cambiazo. Era tan rápido el movimiento, que el ciego no se daba cuenta de nada. Entonces se quejaba diciendo:

—Desde que estás conmigo sólo me dan calderilla. Tú debes traerme mala suerte, muchacho.

También me las ingeniaba para dar algunos tragos[6] a la jarra de vino que dejaba a su lado mientras comíamos. Pero él, que no era tonto, notó que el vino le duraba menos que antes. No me dijo nada, pero a partir de entonces agarraba siempre la jarra por el asa, de modo que yo no podía cogerla.

A mí, que el vino me gustaba más que nada en el mundo, me desesperaba no poder ni probarlo. Hasta

8. Has invitado a unos amigos a cenar. Haz una lista de las cosas que podrías cocinar.

ENTRADAS	PRIMEROS	SEGUNDOS	POSTRES
....	....	....	....
....	....	....	....
....	....	....	....
....	....	....	....
....	....	....	....

9. Rellena los huecos con la preposición "por" o "para".

- Yo nací .... casualidad en el cauce de un río, y .... eso me llaman Lázaro de Tormes.
- Nos fuimos del pueblo donde vivíamos .... falta de trabajo.
- Mi madre pensó que, dejarme ir con el ciego, era lo mejor .... mí.
- Nos abrazamos llorando .... que sabíamos que no nos veríamos más.
- Cuando salimos de Salamanca pasamos .... un puente. .... vivir teníamos que mendigar.
- La gente le daba dinero .... las oraciones que él rezaba.
- Le robaba algunas monedas .... sobrevivir.
- Yo hacía de todo .... poder beber un poco de vino.
- El ciego cogía la jarra .... el asa.

---

1. **artimañas:** *trucos, tretas.*
2. **bien parado:** *ileso, indemne.*
3. **embutido:** *tripa rellena de carne picada.*
4. **sisar:** *robar pequeñas cantidades de la compra.*
5. **calderilla:** *moneda de metal de poco valor.*
6. **trago:** *cantidad de líquido que se bebe de una sola vez.*

que encontré otro sistema: metía una paja por la boca de la jarra y, en un santiamén[1], le dejaba sin una gota de líquido. Como era lógico, también esta vez se dio cuenta[2]. Y siempre sin decir una palabra, cambió de táctica: se ponía la jarra entre las piernas, la tapaba[3] con una mano, y sólo la destapaba para beber.

Mi desesperación aguzó[4] mi ingenio. Después de mucho pensar se me ocurrió hacer un agujero en el fondo de la jarra y llenarlo con cera. Cuando nos poníamos a cenar yo decía que tenía mucho frío y me sentaba entre sus piernas. El calor del fuego derretía la cera, entonces abría la boca y el vino entraba como si se tratara de una fuente. El pobre hombre, cuando iba a beber, lo encontraba más seco que los pozos del desierto. Se desesperaba y maldecía jarra y vino, sin comprender lo que estaba pasando. Yo le decía:

—Señor, esta vez no puede decir que soy yo. Usted no suelta[5] la jarra ni un solo momento.

Pero tantas vueltas dio al recipiente, que al final debió descubrir el truco. Tampoco esta vez dijo nada, disimuló mientras preparaba su, para nada, dulce venganza.

Una noche como tantas otras, sentado entre sus piernas, me preparaba a beber mi vino. El viejo, al comprender que había llegado su momento, cogió el jarro con las dos manos. Lo levantó, y lo dejó caer con tanta fuerza, que me desmayé[6]. Los trozos rotos me llenaron la cara de heridas, que el viejo limpió y curó con vino, mientras me decía con ironía:

—¿Ves Lázaro?, lo que te ha enfermado te está curando.

A pesar de que me cuidó con cierto cariño[7], empezó a maltratarme y a contar a todos, entre risas y burlas, lo que había sucedido.

10. Conjuga en pretérito indefinido los siguientes verbos irregulares.

SER	DAR	PONER	DECIR	ESTAR
....	....	....	....	....
....	....	....	....	....
....	....	....	....	....
....	....	....	....	....
....	....	....	....	....
....	....	....	....	....

11. Conjuga los verbos entre paréntesis en el tiempo correcto.

Lázaro estaba desesperado porque le (*gustar*) .... mucho el vino y no (*poder*) .... beber un poco de vez en cuando. Un día (*tener*) .... una idea y la (*poner*) .... en práctica. Pero el ciego (*ser*) .... muy listo y (*descubrir*) .... el truco que (*inventar*) .... el muchacho. No le (*decir*) .... nada; (*preferir*) .... esperar el momento oportuno para darle una lección. (*Querer*) .... dejarle claro que a él no se le (*poder*) .... engañar tan fácilmente. Cuando (*considerar*) .... que (*llegar*) .... la hora, le (*dar*) .... con el jarro en la cabeza, y le (*provocar*) .... una serie de heridas que después él mismo (*curar*) ....

---

1. **santiamén:** *instante, momento muy breve.*
2. **darse cuenta:** *notar, percibir.*
3. **tapar:** *cubrir.*
4. **aguzar:** *estimular, avivar.*
5. **soltar** (irregular)**:** *dejar libre, liberar.*
6. **desmayarse:** *perder el sentido.*
7. **cariño:** *afecto, amor.*

En aquel momento empecé a odiarlo, y decidí abandonarlo. Sin embargo, en vista del mal trato que me daba, no me fui en seguida. Esperé el momento propicio para irme satisfecho.

La dulce venganza

Un día se me presentó la ocasión. Por la mañana, cuando estábamos en la villa pidiendo limosna, empezó a llover a cántaros[1]. Y así siguió todo el día. Llegada la noche, como no paraba de llover, el ciego decidió que era mejor ponerse a cubierto.

Para llegar a la posada[2] donde estábamos alojados, teníamos que pasar un arroyo[3]. Después de un día entero de lluvia el arroyo iba muy lleno, y yo decidí aprovechar la oportunidad que se me presentaba. Le dije:

—Señor, el arroyo va muy grande, pero allí veo un punto donde se estrecha y de un salto podemos cruzarlo[4] sin mojarnos.

—Tienes razón, Lázaro —contestó—. En invierno no hay cosa peor que llevar los pies mojados.

Quizás fue porque llovía mucho y tenía prisa por reparase del agua. Quizás, por algún motivo que desconozco, en aquel momento se le cerraron los sentidos. Quizás una rara fortuna me acompañaba aquel día, y me permitió llevar a cabo[5] mi venganza.

El caso es que lo coloqué delante de un pilar[6] de piedra que había en medio de la plaza.

—Salta tú primero —dijo.

Yo di un salto, y desde detrás del poste le grité:

—¡Salte! ¡Salte con todas sus fuerzas, que caerá a este lado del arroyo!

12. **Observa el dibujo y rellena los huecos con las preposiciones o expresiones de lugar correctas.**

Querido Paco,

te mando una foto de la plaza de mi pueblo. Como todas las plazas, tiene una fuente justo ...., es decir .... de la iglesia. La iglesia es muy bonita. La ventana que hay en la puerta es de cristales de colores y la ha hecho mi padre. En la parte .... tiene un campanario muy alto, y en la .... un pórtico, donde jugamos cuando llueve.

A Roco, mi perrito, le gustan mucho los pájaros. Como puedes ver aquí está sentado justo .... del árbol porque querría jugar con el pajarito que está .... Otras veces juega solo, dando vueltas .... la fuente.

Espero poder fotografiarte .... esta plaza el verano que viene.

Hasta pronto.

Jesús

---

1. **llover a cántaros:** *llover muchísimo.*
2. **posada:** *mesón, albergue, alojamiento.*
3. **arroyo:** *río pequeño.*
4. **cruzar:** *atravesar, pasar.*
5. **llevar a cabo:** *realizar.*
6. **pilar:** *columna, pilastra, poste.*

El hombre dio unos pasos atrás para darse impulso y saltó. El golpe que recibió fue tan fuerte que, tras tambalearse[1] unos segundos, cayó como muerto.

Allí le dejé en manos de la gente que acudió rápidamente a socorrerlo. Después, en una carrera, llegué a la puerta de la villa. Y no paré de correr hasta que estuve bien lejos de aquel lugar.

Del ciego no volví a saber a nada, y no me molesté en averiguarlo[2].

Mi segundo amo: el clérigo

Llegué a un lugar llamado Maqueda. Allí vivía de limosna, cuando un día un clérigo se me acercó y me preguntó si sabía servir en la misa. Le contesté que sí —que era la verdad, ya que lo había aprendido estando con el ciego—, y me fui con él.

Pero si el ciego era avaro y mezquino, éste lo era cien veces más. Con la excusa de que los clérigos tienen que hacer penitencia y, por lo tanto, ser comedidos[3] en la comida y la bebida, me mataba de hambre. Aunque en realidad sus teorías no eran más que mentiras[4]; él no se trataba como lo hacía conmigo. A mí me daba una cebolla cada cuatro días, y por la noche un trozo de pan y un caldo. Pero él cenaba su buena carne y cuando podía comer a costa de otros, se atiborraba[5].

En poco tiempo estaba tan flaco[6], que las piernas no me servían para tenerme en pie.

Lo que más me gustaba era ir a los entierros, que Dios me perdone, pero es que allí podía hartarme[7] a comer. La mala suerte quiso que, en los casi seis meses que estuve con él, sólo se murieran veinte personas.

13. Di si las siguientes frases son verdaderas o falsas.

- Lázaro avisó al ciego de que le iba a abandonar. **V F**
- Se marchó de allí con calma y con la conciencia tranquila. **V F**
- Como no tenía qué comer, se dedicó a robar. **V F**
- Su nuevo dueño pertenecía a la Iglesia. **V F**
- Con él engordó mucho porque le daba bien de comer. **V F**
- A Lázaro le gustaba ir a los entierros. **V F**

14. Busca en el texto las expresiones que puedan ser sustituidas por éstas, sin que cambie el significado.

- vino hacia mí: ....
- me daba poquísimo de comer: ....
- corrí sin detenerme: ....
- no eran ciertas: ....
- retrocedió: ....
- lo que prefería: ....
- un día sí, tres no: ....
- mucho más: ....
- no supe nada más: ....
- de caridad: ....

---

1. **tambalearse:** *moverse de un lado a otro.*
2. **averiguar:** *informarse, indagar.*
3. **comedido:** *moderado, sobrio, discreto.*
4. **no eran más que mentiras:** *eran solamente mentiras.*
5. **atiborrarse:** *llenarse, saciarse, hartarse.*
6. **flaco:** *delgado, escuálido, esquelético.*
7. **hartarse:** *saciarse, satisfacer el hambre.*

A pesar de que varias veces pensé dejarle, no lo hice. Por una parte estaba tan débil, que prácticamente no podía ni moverme. Por otra, el hecho de haber pasado de un amo malo a otro peor, me hacía temer lo que podría depararme[1] la fortuna.

En la casa tenía un arca vieja, que cerraba siempre con llave, donde metía todas las cosas de comer. Yo la miraba y remiraba, desesperado, imaginando lo que había en su interior.

Un día mientras me encontraba solo en la casa, llegó un cerrajero[2] pidiendo trabajo. Entonces se me iluminaron los ojos y la imaginación. Le dije que había perdido la llave del arca, y que mi amo me mataría. El buen hombre probó, hasta que una de las que llevaba consigo la abrió. Como pago le di uno de los panes que había dentro, y se fue casi más contento de lo que lo estaba yo.

Aquel día no toqué nada para evitar ser descubierto y, efectivamente, el clérigo no notó que faltaba un pan. Además, estaba tan seguro de haber encontrado la solución a mis problemas, que se me había calmado el hambre.

Aproveché una ocasión en que me dejó solo para comerme, en un periquete[3], uno de los panes con que tanto había soñado. Pero no era destino que durase mi fortuna. A los tres días lo encontré contando y recontando los panes, mientras decía:

—Bien sé que no es posible, pero yo diría que antes este arcón estaba más lleno. Será mejor que de ahora en adelante cuente los panes.

¡Ay de mí![4], la suerte me abandonaba de nuevo.

15. **Pon las palabras que están entre paréntesis en una forma comparativa de igualdad, superioridad o inferioridad, como en el ejemplo.**

Mi hermano era (pequeño) ...menor que... yo. (-)

- El clérigo era mucho (*malo*) .... el ciego. (+)
- Yo pasaba (*hambre*) .... con uno .... con el otro. (=)
- Aprendí muchas (*cosas*) .... con el clérigo. (-)
- El cerrajero estaba (*contento*) .... yo. (+)
- El clérigo notó que el arcón estaba (*lleno*) .... antes. (+)
- Mi miedo era encontrar otro amo (*malo*) .... éste. (=)

16. **El *Condicional Simple* se utiliza como futuro del pasado. Conjuga los verbos entre paréntesis en este tiempo.**

- Cuando era pequeño no tenía ni idea de lo que (*ser*) .... de mayor.
- El ciego dijo a mi madre que (*encargarse, él*) .... de enseñarme a hacer de guía.
- Mi madre se despidió de mí llorando porque sabía que no (*verme*) .... más.
- Cuando me fui de casa, me dijo que a partir de entonces (*tener, yo*) .... que valerme por mí mismo.
- No abandonaba al clérigo porque temía lo que (*poder*) .... depararme el destino.

---

1. **deparar:** *reservar, proporcionar.*
2. **cerrajero:** *persona que hace o vende llaves para las cerraduras.*
3. **periquete:** *instante, santiamén.*
4. **¡Ay de mí!:** *¡pobre de mí!*

Llegan los ratones

No poder tocar todos aquellos bienes de Dios encerrados bajo llave, era un sufrimiento, una crueldad. Me pasaba el día buscando la manera de poder hincarles el diente[1]. Y como ya me había ocurrido otras veces, la necesidad despertó mi ingenio: se me ocurrió hacerme pasar por un roedor. La madera era tan vieja, que no sospecharía de mí.

Fue pensarlo y hacerlo. Por la noche, mientras dormía un sueño profundo, abrí el arcón, desmigajé todos los panes, y lo volví a cerrar.

Como había previsto, cuando volvió a casa y vio el desastre, dedujo que habían sido los ratones. Entonces cogió unas tablas y unos clavos, y tapó todos los agujeros.

Cuando llegó la hora de la comida me dio los trozos que, según él, habían tocado los ratones, diciéndome:

—No te preocupes, Lázaro, que lo que no mata engorda[2]. Ya ven ustedes si tengo razón o no cuando digo que era aún más mezquino que el ciego.

Yo, que sabía la verdad, no le hacía ascos[3] al pan, sino todo lo contrario. Por primera vez desde que me encontraba con él tenía "ración doble". Tampoco me desanimaron sus medidas contra los roedores. Durante los días que siguieron, destapaba por la noche todo lo que él tapaba durante el día.

Visto que el sistema de las tablas no dio resultado, pidió prestadas a sus vecinos un par de ratoneras. Yo, impertérrito ante su desesperación, me comía el pan y las cortezas de queso, y le dejaba las trampas intactas.

—Pero, ¿cómo es posible que los ratones se coman mi pan y se lleven mi queso sin dejar ni rastro? —preguntaba a los vecinos.

Estos le decían que no podía ser un ratón, y uno de ellos comentó:

17. *Ocurrir* **significa "suceder, pasar".** ***Ocurrirse significa*** **"venir a la mente, tener una idea". Sustituye este verbo con su significado correcto, como en el ejemplo.**

Ya me había ocurrido otras veces:
ya me había pasado otras veces...........

Se me ocurrió hacerme pasar por un roedor:
tuve la idea de hacerme pasar por un roedor.....................

- ¿Qué te ocurre?: ....
- ¿Sabes lo que se me ha ocurrido para el cumpleaños de Susana?: ....
- ¿Sabes lo que ocurrió en la fiesta del sábado?: ....
- Pero, ¿cómo se te ocurre decirle que es un mentiroso?: ....
- No te preocupes, no ha ocurrido nada: ....

18. **Rellena los huecos con "necesitar, hacer falta y haber que".**

- ¿Qué títulos .... presentar para solicitar ese puesto de trabajo?
- Tú, lo que .... es un buen trabajo.
- Una amiga mía .... una persona que le ayude a limpiar la casa una vez a la semana.
- Esta empresa .... una secretaría que sepa bien idiomas.
- ¿Tú sabes lo que .... para renovar el pasaporte?

---

1. **hincar el diente:** *meter, clavar el diente. Probar, comer, dar un mordisco.*
2. **lo que no mata engorda:** *dicho que significa que los alimentos son sagrados y, por tanto, sólo lo que se ha estropeado o ha caducado no se puede comer.*
3. **hacer ascos:** *rechazar.*

—Recuerdo que en su casa solía andar una culebra. Debe ser ella, pues como es larga puede entrar en la ratonera sin hacerla saltar.

Todos estaban de acuerdo con esta teoría. Luego añadieron que dichos animales suelen refugiarse por la noche en el calor de las camas.

Quedó mi amo muy inquieto y con el sueño muy ligero. Apenas oía un ruido, se despertaba y se ponía de pie de un salto. Entonces agarraba un garrote[1], que dejaba al lado de su cama, y se dirigía hacia el arcón pensando encontrar allí la culebra.

Yo me hacía el dormido, y por la mañana hacía comentarios de pavor cuando me contaba lo sucedido durante la noche.

Mi amo se volvió cada vez más vigilante, y a mí empezó a asustarme la idea de que encontrara la llave que escondía entre las pajas de mi lecho. Decidí metérmela en la boca, seguro de que era el único sitio donde no buscaría.

Con las manos en el saco

Hasta que un día que dormía con la boca abierta, la llave se colocó de tal modo, que al expirar se oía un ligero silbido. El clérigo se despertó sobresaltado[2], convencido de que era el silbido de la culebra, y de que se había escondido entre mis ropas. Se acercó a mí sigiloso, y me dio tal garrotazo[3] que me dejó sin sentido. Empezó a llamarme y, como yo no contestaba, comprendió lo que había pasado. Entonces fue a buscar lumbre[4], y cuando volvió vio que estaba cubierto de sangre.

Asustado por el daño que me había hecho, acercó la luz a mi cara, y descubrió maravillado la llave que

19. ***Soler + infinitivo* indica una cosa habitual, que se repite; *Tener que + infinitivo* indica una obligación; *Volver a + infinitivo* indica que la acción se repite; *Seguir + gerundio* indica continuidad de la acción iniciada tiempo antes. Rellena los espacios con una de estas perífrasis, conjugando el auxiliar en el tiempo correcto y el verbo entre paréntesis en infinitivo o gerundio.**

- Alguien dijo que las culebras .... (*refugiarse*) entre las sábanas.
- Lázaro no .... (*ver*) a su madre.
- A pesar de que cambió de amo, ... (*pasar*) hambre.
- Cuando estaba en el mesón con su madre .... (*ayudar*) yendo a buscar el vino.
- El ciego le dijo que un mozo .... (*ser*) muy listo.
- El clérigo .... (*guardar*) las cosas de comer en un arca.
- Lázaro no quiso .... (*saber*) nada de su primer amo.
- Cuando abandonó al ciego .... (*mendigar*) para poder sobrevivir.
- El ciego no le dijo nada cuando descubrió que se bebía su vino. Decidió que .... (*darle*) una lección. La madre de Lázaro .... (*casarse*) al poco tiempo de quedarse viuda.
- Lázaro .... (*destapar*) una y otra vez los agujeros que el clérigo tapaba.

---

1. **garrote:** *palo grueso, estaca.*
2. **sobresaltado:** *asustado, intranquilo.*
3. **garrotazo:** *golpe dado con el garrote.*
4. **lumbre:** *materia combustible encendida, llama, fuego.*

sobresalía de mi boca. Viendo que era exactamente igual a la suya, comprendió de inmediato mis tretas[1].

De lo que ocurrió en los días siguientes, poco puedo contar; los pasé luchando por seguir vivo. Cuando recuperé el sentido y me vi lleno de vendas y ungüentos, pregunté:

—¿Qué es esto?

Mi amo, cruel, me contestó:

—Por fin he conseguido cazar ratones y culebras.

Me permitió reponerme de mis heridas. A los quince días pude levantarme sin peligro. Entonces el clérigo me cogió de la mano, me acompañó a la puerta y me dijo:

—A partir de ahora eres tuyo y no mío, Lázaro. Yo no te quiero conmigo, que bien se ve que has sido adestrado por un ciego.

Mi tercer amo: el escudero

Con las pocas fuerzas que tenía me puse en camino y llegué a la ciudad de Toledo, donde entré al servicio de un escudero. Aquel hombre no era ruin y malvado como mis anteriores amos, pero con él pasé tanta hambre como con los demás[2].

A pesar de que vestía elegantemente y se codeaba[3] con la mejor gente de la ciudad, el pobre pasaba días enteros sin probar bocado[4]. Es más, lo poco que metía en el estómago, se lo daba yo de lo que había conseguido mendigando. Tenía buenos modales y nunca aceptaba nada, si no lo convencía diciéndole que era digno de ser probado.

Vivíamos en una casa prácticamente desamueblada. Sólo había en ella una cama donde dormía el

20. Rellena los espacios de estos dos textos con los posesivos adecuados.

- Ayer salí con .... hermana a comprar los regalos de Navidad. Fuimos con .... coche porque el .... no arrancaba. Entramos en una juguetería donde trabaja una amiga (de mi) ...., y allí compramos varios juguetes para (de ella) .... hijos, y un dominó para unos amigos (de nosotras) ....
- Tengo una familia muy numerosa. Dos de .... hermanas están casadas, y yo me llevo muy bien con .... cuñados. .... hermana mayor tiene tres hijos, pero .... preferido es Juan, el pequeño. .... hermano está soltero, pero .... novia tiene ganas de casarse pronto. En total somos cinco.

21. Di con otras palabras las expresiones del texto que te damos a continuación.

- Viendo que: ....
- De inmediato: ....
- Poco puedo contar: ....
- A los quince días: ....
- A partir de ahora: ....
- Eres tuyo y no mío: ....
- Bien se ve: ....
- A pesar de que: ....

---

1. **tretas:** *artimañas, trucos, engaños.*
2. **los demás:** *los otros.*
3. **codearse:** *relacionarse, tratarse.*
4. **bocado:** *comida, alimento. Mordisco.*

escudero. Yo pasaba los días buscando algo de comer, y preguntándome qué hacía un hombre como él viviendo de aquel modo.

Y una noche que habíamos comido razonablemente y estaba bastante contento, se cumplió mi deseo y me habló de su vida.

Venía de Castilla la Vieja, donde tenía unas tierras. De allí se marchó por una cuestión de saludos, con un caballero vecino suyo. Parece ser que[1] cada vez que se cruzaban por la calle, el escudero era el primero en quitarse el sombrero. Y como él era un hombre de honor, no podía aceptar esa afrenta; el otro hombre era más rico, eso era cierto. Pero, por lo menos de vez en cuando, debía anticiparlo en el saludo.

Inconcebible, ¿verdad?. Bueno, pues éste era mi amo. Yo no podía comprenderlo. En su lugar, no habría abandonado mis bienes. Sin embargo, a pesar de todo, era la primera persona que me trataba bien. Por eso seguía con él.

Un día llamaron a la puerta un hombre y una vieja. El hombre pidió el alquiler[2] de la casa, y la vieja el de la cama. El les contestó que tenía que salir a cambiar porque en ese momento no tenía monedas sueltas, y les dijo que podían volver por la tarde.

Volvieron cuando mi amo aún no había regresado. Y así se lo dije. Por la noche se acercaron de nuevo a buscarlo, y yo de nuevo les dije que todavía no había llegado.

Cuando hubo anochecido[3] del todo, me dio miedo quedarme en aquel lugar solo. Entonces me fui a casa de las vecinas, les conté lo que había pasado, y me quedé a dormir allí.

Por la mañana se presentaron los acreedores con el alguacil[4] preguntando por el escudero. Como vieron

22. **El *Condicional Simple* indica una hipótesis, un deseo que es posible realizar. El *Condicional Compuesto* se refiere a una hipótesis ya pasada. Rellena los huecos con uno de los dos condicionales.**

- Ana, ¿dónde te (*gustar*) .... ir de vacaciones este año?
- Yo en aquel momento le (*prestar*) .... el coche, pero mi marido no quiso.
- No teníamos mucho dinero, si no (*viajar*) .... mucho más de lo que lo hicimos.
- Menos mal que no tengo que decidir yo, porque te juro que no (*saber*) .... cuál escoger.
- Imagínate que te tocan 100 millones de pesetas a la lotería.
- ¿Qué (*hacer*) .... con tanto dinero?
- Tú en mi caso, ¿le (*decir*) .... la verdad?

23. **Conjuga los verbos entre paréntesis en Pretérito Anterior o Pretérito Indefinido.**

- Cuando (*anochecer*) ...., (*yo, irse*) .... a casa de las vecinas.
- Una vez que (*acabar*) .... el espectáculo, el público (*abandonar*) .... el teatro.
- Cuando el enfermero le (*desinfectar*) .... la herida, le (*poner*) .... una venda.
- No le (*ellos, dejar*) .... salir de casa hasta que no (*estudiar*) .... toda la lección.

---

1. **parece ser que:** *parece que.*
2. **alquiler:** *precio que se paga por utilizar una cosa.*
3. **anochecer:** *hacerse noche, oscurecer.*
4. **alguacil:** *oficial de justicia que ejecuta las órdenes del tribunal.*

que mi señor no estaba, me pidieron la llave para entrar en la casa. Al comprobar que estaba totalmente vacía, se dirigieron a mí con tono amenazador.

—¿Dónde están los bienes de tu amo?

—No sé nada de eso —respondí yo.

—Sin duda esta noche los escondió en algún sitio —dijeron mirando al aguacil, y añadieron —¡Arreste a este muchacho! Seguro que es su cómplice.

—No señores, se equivocan, que yo sólo sé que la casa ha estado siempre así de vacía. Y dudo que mi señor tenga posesiones, por lo menos en esta ciudad.

Las vecinas que estaban presenciando la escena hablaron a mi favor:

—Este es un niño inocente. Hace pocos días que sirve a ese escudero, y no sabe más que ustedes. El pobre venía casi todos los días a nuestra casa porque no tenía qué comer.

Gracias a sus palabras creyeron en mi inocencia, y me dejaron en libertad.

Así como he contado me abandonó mi pobre tercer amo, y otra vez me encontré sin ocupación.

Buscando una nueva vida

Más tarde pasé a servir a un alguacil. Sin embargo, con él estuve poco tiempo porque era un trabajo peligroso. Una noche, unos maleantes nos molieron[1] a palazos y pedradas[2]. A mí, como era más joven y ágil, no me alcanzaron, pero a mi amo lo apalearon y descalabraron.

Escarmentado[3] como estaba de tantos golpes y tanta hambre, quise buscar un modo de vivir más tranquilo. Y se ve que, después de los sobresaltos[4] vividos con cada

24. Algunos de los siguientes verbos rigen preposición, otros no. Rellena los huecos con la preposición adecuada o déjalos en blanco.

- Gracias a sus palabras creyeron .... mi inocencia.
- Se casó .... la hermana de su mejor amiga.
- Habían decidido .... no ir a la fiesta, pero después cambiaron .... opinión.
- No se han dado cuenta .... que les estabas llamando.
- Se despidió .... su madre con lágrimas en los ojos.
- En aquel momento creí .... morirme de pena.
- Estaba seguro .... que me diría que no.
- Sueño .... irme a vivir sola lo antes posible.
- No nos han permitido .... llevar a cabo nuestro proyecto.
- Alberto siempre cree .... poder hacer todo solo.
- No me acuerdo .... cuándo es su cumpleaños.

25. Pon estas frases en estilo indirecto.

- "¿Dónde están los bienes de tu amo?".
  Le preguntaron ....
- "No sé nada de eso".
  Contestó ....
- "Esta noche los escondió en algún sitio".
  Ellos pensaron ....
- "Seguro que es su cómplice".
  Dijeron al alguacil ....

---

1. **moler** (irregular)**:** *llenar, atiborrar, atestar.*
2. **palazos y pedradas:** *golpes dados con palos y piedras.*
3. **escarmentar** (irregular)**:** *aprender después de haber sufrido una decepción o desengaño.*
4. **sobresalto:** *susto, intranquilidad, preocupación.*

uno de mis amos, Dios decidió ayudarme y compensarme, dándome un empleo.

Hace años que me dedico a pregonar[1] las cosas perdidas y los vinos que se venden en esta ciudad, y a acompañar a los condenados a ser azotados[2] en público, mientras declaro a voces el delito por el que les dan castigo. En una palabra, soy pregonero. Un empleo que me permite vivir sin agobios[3].

Cumplo tan bien mi oficio que me he ganado la amistad de todos. Hasta el punto de que el arcipreste de San Salvador, a quien pregono los vinos, me propuso un día casarme con una criada[4] suya. Acepté, porque de una persona como él, sólo podían venirme cosas buenas.

Y no estoy arrepentido de ello. Mi esposa es buena, diligente y servicial. Además, mi señor, que es como un amigo, me regala por Pascua o fin de año trigo, carne o la ropa que ya no usa. Nos dio una casa en alquiler tan grande como la suya, y casi todos los domingos vamos a comer con él.

Ahora vivo en paz y feliz. Todas las desgracias y las angustias[5] pasadas, están olvidadas.

26. ***Hace, Hace...que* y *Desde hace* se utilizan para indicar la cantidad de tiempo que ha pasado a partir del momento en que empezó la acción. *Desde* nos señala cuándo empezamos a hacerla. Rellena los huecos con una de estas formas.**

- No veo a Gustavo .... por lo menos tres meses.
- Te ha llamado Enrique .... media hora.
- Me enamoré de él .... el momento en que lo vi.
- Vivo en esta ciudad .... que empecé a estudiar la carrera.
- ¿ .... mucho tiempo .... tienes este equipo de música?
- .... que nos casamos no hemos vuelto a hacer un viaje tan largo.
- Esa ley está aprobada por lo menos .... 1990.
- Estoy un poco preocupado .... casi tres días .... se fue y aún no sabemos nada de él.

27. **Rellena los huecos con "así" o "tan".**

- Cogeré un taxi, ... llegaré a tiempo.
- No esperaba terminar .... pronto.
- Ella es ...., no reconoce sus errores.
- Convencerlo no es .... fácil como tú piensas.
- Te he dicho que no se hace .... .Pero, ¿es .... difícil de entender?
- No, no era .... tarde, es que yo tenía mucho sueño.

---

1. **pregonar:** *proclamar, divulgar, vocear.*
2. **azotar:** *flagelar, dar golpes con un látigo o fusta.*
3. **agobio:** *preocupación, opresión.*
4. **criada:** *sirvienta, asistenta.*
5. **angustia:** *aflicción, pena, preocupación.*

• PRIMERAS LECTURAS •

Arciniega	EL MAGO PISTOLERO
Arciniega	TERREMOTO EN MÉJICO D.F.
Busch	MAX Y MORITZ
Cerrada Dahl	TITANIC
de la Helguera	LA MÁSCARA DE BELLEZA
Del Monte	JUEGA CON LA GRAMÁTICA ESPAÑOLA
Díez	EL CARNAVAL DE RÍO DE JANEIRO
Díez	EL GATO GOLOSO
Hoffmann	PEDRO MELENAS
Maqueda	EL FANTASMA CATAPLASMA

• LECTURAS SIMPLIFICADAS •

Anónimo	EL CID CAMPEADOR
Anónimo	EL LAZARILLO DE TORMES
Arciniega	EVITA PERÓN
Arciniega	LOS SUPERVIVIENTES DE LOS ANDES
Bazaga Alonso	EL MISTERIO DE MOCTEZUMA
Bazaga Alonso	EL MONSTRUO DE LAS GALÁPAGOS
Carmos	LA NIÑA DE ORO
Cervantes	DON QUIJOTE DE LA MANCHA
Cervantes	RINCONETE Y CORTADILLO
Del Monte	JUEGA CON LA GRAMÁTICA ESPAÑOLA
Gómez	RAPA NUI. El misterio de la Isla de Pascua
Mendo	EL CASO DEL TORERO ASESINADITO
Mendo	DELITO EN CASABLANCA
Shelley	FRANKENSTEIN
Toledano	EL TRIÁNGULO DE LAS BERMUDAS
Ullán Comes	DELITO EN ACAPULCO
Ullán Comes	EL VAMPIRO

• LECTURAS SIN FRONTERAS •

Anónimo	EL ROMANCERO VIEJO
Arciniega	AMISTAD
Bazaga Alonso	LA ARMADA INVENCIBLE
Del Monte	JUEGA CON LA GRAMÁTICA ESPAÑOLA
Gómez	LA ISLA ENCANTADA
Ibáñez	ENTRE NARANJOS
Manuel	EL CONDE LUCANOR
Tirso de Molina	EL BURLADOR DE SEVILLA
Ullán Comes	LA NOCHE DE HALLOWEEN

• CLÁSICOS DE BOLSILLO •

Alarcón	EL SOMBRERO DE TRES PICOS
Anónimo	EL LAZARILLO DE TORMES
Bazán	LA GOTA DE SANGRE y otros cuentos policiacos
Bécquer	LEYENDAS
Calderón de la Barca	LA VIDA ES SUEÑO
Cervantes	NOVELAS EJEMPLARES
Clarín	CUENTOS
de Rojas	LA CELESTINA
Donoso	EL LUGAR SIN LÍMITES
Galdós	TRAFALGAR
Lope de Vega	NOVELAS A MARCIA LEONARDA
Moratín	EL SÍ DE LAS NIÑAS
Quevedo	EL BUSCÓN
Valera	LA BUENA FAMA y otros cuentos
Zorrilla	DON JUAN TENORIO

• EASY READERS •

Alcott	LITTLE WOMEN
Barrie	PETER PAN
Baum	THE WIZARD OF OZ
Bell	PLAY WITH ENGLISH GRAMMAR
Bell	PLAY WITH ENGLISH WORDS
Bell	PLAY WITH THE INTERNET
Bell	PLAY WITH... VOCABULARY
Brontë	WUTHERING HEIGHTS
Burnett	THE SECRET GARDEN
Carroll	ALICE IN WONDERLAND
Cooper	THE LAST OF THE MOHICANS
Coverley	THE CHUNNEL
Coverley	THE GREAT TRAIN ROBBERY
Defoe	ROBINSON CRUSOE
Demeter	ATTACK ON FORT KNOX
Demeter	JOHNNY THE GODFATHER
Dickens	A CHRISTMAS CAROL
Dickens	OLIVER TWIST
Dolman	KING ARTHUR
Dolman	ROBIN HOOD STORIES
Dolman	THE LOCH NESS MONSTER
Dolman	THE SINKING OF THE TITANIC
Dolman	THE STORY OF ANNE FRANK
Grahame	THE WIND IN THE WILLOWS
Haggard	KING SOLOMON'S MINES
Hetherington	THE BATTLE OF STALINGRAD
James	GHOST STORIES
Jerome	THREE MEN IN A BOAT
Kingsley	THE WATER BABIES
Kipling	JUNGLE BOOK STORIES
London	THE CALL OF THE WILD
London	WHITE FANG
Melville	MOBY DICK
Poe	BLACK TALES
Raspe	BARON MÜNCHHAUSEN
Scott	AMERICAN INDIAN TALES
Scott	FOLK TALES
Scott	IVANHOE
Shakespeare	ROMEO AND JULIET
Shakespeare	MIDSUMMER NIGHT'S DREAM
Shelley	FRANKENSTEIN
Spencer	THE GIRL FROM BEVERLY HILLS
Stevenson	DR JEKILL AND MR HYDE
Stevenson	TREASURE ISLAND
Stoker	DRACULA
Stowe	UNCLE TOM'S CABIN
Swift	GULLIVER'S TRAVELS
Twain	TOM SAWYER
Twain	HUCKLEBERRY FINN
Twain	THE PRINCE AND THE PAUPER
Wallace	KING KONG
Whelan	A STATUE OF LIBERTY
Whelan	DRACULA'S WIFE
Wrenn	PEARL HARBOR
Wright	DRACULA'S TEETH
Wright	ESCAPE FROM SING-SING
Wright	THE ALIEN
Wright	THE BERMUDA TRIANGLE
Wright	THE MUMMY
Wright	THE MURDERER
Wright	THE NINJA WARRIORS
Wright	THE WOLF
Wright	YETI THE ABOMINABLE SNOWMAN

• INTERMEDIATE READERS •

Austen	EMMA
Austen	PRIDE AND PREJUDICE
Bell (NO CASSETTE/CD)	PLAY with English GRAMMAR
Bell (NO CASSETTE/CD)	PLAY with English WORDS
Bell (NO CASSETTE/CD)	PLAY with...VOCABULARY

Play and Learn... ARIES • TAURUS • GEMINI • CANCER • LEO • VIRGO • LIBRA • SCORPIO • SAGITTARIUS • CAPRICORN • AQUARIUS • PISCES

	BEOWULF
Brontë	JANE EYRE
Bunyan	THE PILGRIM'S PROGRESS
Chaucer	THE CANTERBURY TALES
Collins	THE WOMAN IN WHITE
Coverley	MY GRANDDAD JACK THE RIPPER
Defoe	MOLL FLANDERS
Fielding	JOSEPH ANDREWS
Fielding	TOM JONES
Hardy	FAR FROM THE MADDING CROWD
Hawthorne	THE SCARLET LETTER
James	THE PORTRAIT OF A LADY
James	WASHINGTON SQUARE
Lawrence	LADY CHATTERLEY'S LOVER
Lawrence	WOMEN IN LOVE
Leroux	THE PHANTOM OF THE OPERA
Richardson	PAMELA
Thackeray	VANITY FAIR
Schreiner	STORY OF AN AFRICAN FARM
Shakespeare	ANTONY AND CLEOPATRA
Shakespeare	AS YOU LIKE IT
Shakespeare	HAMLET
Shakespeare	HENRY V
Shakespeare	KING LEAR
Shakespeare	MACBETH
Shakespeare	MUCH ADO ABOUT NOTHING
Shakespeare	OTHELLO
Shakespeare	ROMEO AND JULIET
Shakespeare	The MERRY WIVES of WINDSOR
Stevenson	KIDNAPPED
Wright	AMISTAD
Wright	BEN HUR
Wright	HALLOWEEN
Wright	RAPA NUI
Wright	THE BERMUDA TRIANGLE
Wright	THE MONSTER OF LONDON
Wright	WITNESS

• POCKET CLASSICS (selection) •

Conrad	HEART OF DARKNESS
Dickens	A CHRISTMAS CAROL
Dickinson	SELECTED POEMS
Doyle	SHERLOCK HOLMES
James	THE TURN OF THE SCREW
Jerome	THREE MEN IN A BOAT
Lawrence	ENGLAND, MY ENGLAND
London	THE CALL OF THE WILD
Mansfield	IN A GERMAN PENSION
Maugham	RAIN
Melville	BILLY BUDD, SAILOR
Poe	THE MURDERS IN THE RUE MORGUE
Shakespeare	AS YOU LIKE IT
Shakespeare	A MIDSUMMER NIGHT'S DREAM
Shakespeare	MUCH ADO ABOUT NOTHING
Shaw	MRS WARREN'S PROFESSION
Shelley	FRANKENSTEIN
Stevenson	DR JEKYLL AND MR HYDE
Whitman	LEAVES OF GRASS
Wilde	AN IDEAL HUSBAND
Wilde	THE IMPORTANCE OF BEING EARNEST
Wilde	THE PICTURE OF DORIAN GRAY

• IMPRIME TECHNO MEDIA REFERENCE • MILÁN • ITALIA
DISTRIBUIDO POR MEDIALIBRI • VIA IDRO 38 • 20132 MILÁN • ITALIA • TEL. 02 27207255 • FAX 02 2567179